Alfonso Caso:

EXPLORADOR DE MONTE ALBÁN

Edición: María Cristina Vargas

Texto e investigación: Manola Rius Caso
Ilustraciones: Ana Bonilla Rius
Diseño: Roxana Ruiz y Alejandro Magallanes /La Máquina del Tiempo

Primera edición, 2004
Primera reimpresión, 2010
D. R. © SM de Ediciones, S. A. de C. V., 2004
Magdalena 211, Colonia del Valle,
03100, México, D. F.
Tel.: (55) 1087 8400
www.ediciones-sm.com.mx

ISBN 978-970-688-527-2
ISBN 978-970-785-001-9 de la colección Así Ocurrió

Miembro de la Cámara Nacional de la Industria Editorial Mexicana
Registro número 2830

Impreso en México / *Printed in Mexico*

Alfonso Caso:

EXPLORADOR DE MONTE ALBÁN

Textos de Manola Rius Caso
Ilustraciones de Ana Bonilla Rius

ediciones sm

Me gustan los trenes. Me gusta mucho viajar en tren. Pasaremos toda la noche viajando de regreso a la ciudad de México, pero ahora ya no me dará miedo la oscuridad. Ya no le tendré miedo a la oscuridad nunca más porque acabo de entrar a una tumba.

Cuando encontraron el cementerio ya llevábamos un tiempo viviendo en Oaxaca. Vinimos aquí porque a mi papá le gustan mucho las cosas prehispánicas y sobre todo las zapotecas, y quería explorar los palacios y templos en las ruinas de Monte Albán. Más que nada, quería encontrar pistas que le ayudaran a resolver un misterio. Yo creo que por eso no se cansaba de excavar la tierra horas y horas bajo el sol, y de limpiar con brochas y pinceles todas las piedras y trozos de cerámica que encontraba.

Pero no sólo a él le gusta esto de la arqueología: también a mi mamá y a las otras personas que iban en el camión de las exploraciones, que todas las mañanas pasaba por nosotros a Oaxaca para llevarnos a Monte Albán. El camino se hacía largo porque nos deteníamos en varios pueblitos a recoger a algunos de los trabajadores que vivían ahí, y porque a cada rato había vacas estorbando en el camino.

Mis hermanos y yo los acompañábamos siempre, pero mientras ellos se dedicaban a quitar los arbustos y la maleza que había crecido sobre las ruinas, nosotros nos poníamos a atrapar insectos y a jugar con algunos de los niños que subían a la montaña a pastorear sus ovejas y cabras.

Cuando mi mamá nos anunció que nos íbamos a Oaxaca, yo no sabía que mi papá llevaba cinco años tratando de descifrar un lenguaje desconocido; que eso era lo que buscaba en las miles de piedras labradas que veía con su lupa y en los códices, los cuales extendía como acordeón en el piso de la biblioteca. No sabía tampoco que lo que acababa de descifrar abría un nuevo enigma sobre la civilización zapoteca y otras culturas prehispánicas.

En cuanto llegamos a Monte Albán, un poco antes de Navidad y Año Nuevo, se pusieron a desyerbar con picos y palas la escalera enorme de una pirámide. Bueno, dicen que debajo de los árboles hay una pirámide y que la van a hacer visible poco a poco; a mí me sigue pareciendo un monte bastante grande, como hay muchos aquí.

Yo no sé cómo supieron que atrás de la pirámide había un cementerio. De ese lado está la carretera y no hay montes tan grandes como el de la escalera, ni tampoco piedras labradas con figuras de hombres que parece que están danzando, como las que encontraron en el otro extremo de la montaña. Pero dijeron que ése era un cementerio y que iban a excavar y explorar las tumbas.

–¿Se van a meter a las tumbas? –le pregunté a uno de los exploradores, aprovechando un día que estábamos él y yo solos.

–Sí, eso es lo que queremos –me contestó.

–¿Y no les da miedo?

Me dijo que no, que las tumbas eran muy antiguas y que lo que encontraran en ellas les iba a permitir conocer más sobre cómo eran y cómo vivían los zapotecos: el pueblo que construyó la ciudad en la cima de Monte Albán.

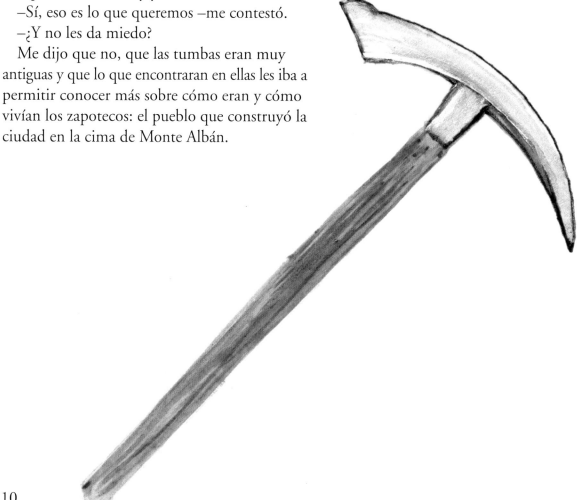

Al principio, cuando empezaron a excavar ahí, yo no quería estar cerca de ellos, pero tampoco quería que mis hermanos se dieran cuenta de que tenía un poco de miedo, porque seguramente se iban a burlar de mí. Pero con el tiempo me fui tranquilizando porque cada vez que salían de una tumba decían lo mismo: que la habían saqueado y no quedaba nada, o que el techo se había caído y había pulverizado todo.

Incluso llegué a sospechar que se habían equivocado y que ahí no había ningún cementerio, y más cuando un día vi salir corriendo a unos exploradores, perseguidos por muchísimos murciélagos que salían de una tumba.

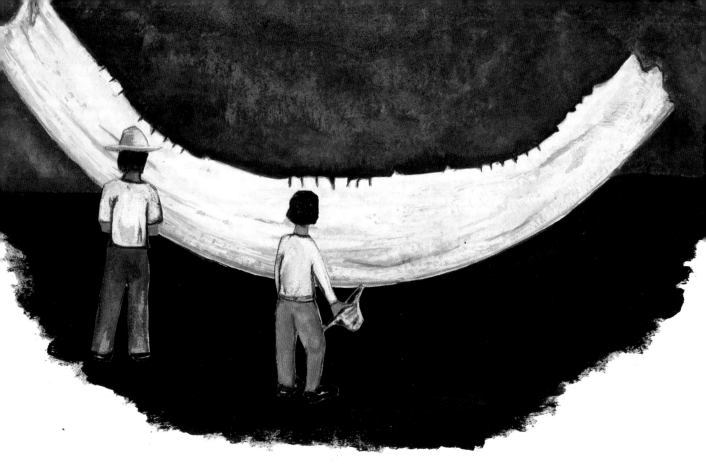

Llegó Navidad y el Año Nuevo. Festejamos el primer día de 1932 en la plaza principal de la ciudad de Oaxaca. Hubo una gran fiesta con bailes y cohetes, y los músicos del kiosco tocaron disfrazados de tigres, venados y también llevaban máscaras de mono.

A los pocos días volvimos a Monte Albán. Empezaron a explorar en un lugar nuevo, y aunque encontraron la costilla entera de una ballena, que los zapotecos usaban como un instrumento de música, mi papá no quiso que siguieran excavando ahí e insistió en regresar al cementerio. Así que se pusieron a trabajar otra vez frente a la carretera, sobre un montículo que dicen que es pequeño, aunque es como dos veces más alto que yo.

Una tarde, después de la comida, los trabajadores empezaron a limpiar las paredes de un templo, y mi papá le pidió a un explorador que lo ayudara a excavar un pozo frente al montículo.

Mis hermanos y yo nos aburrimos de verlos trabajar y nos alejamos de ahí. Mientras mi mamá limpiaba con un pincel un gran caracol y las piedras verdes de un collar que habían encontrado, nosotros nos pusimos a buscar hormigas y arañas porque nos gusta mucho organizar guerras de insectos. En una caja los ponemos a todos juntos: alacranes, ciempiés, arañas "viuda negra", muchas hormigas rojas y un escarabajo verde, que es el árbitro del combate... Es curioso, pero casi siempre ganan las hormigas y el árbitro.

Habíamos encontrado un ciempiés, cuando de pronto oímos la voz de mi papá.

–¿Qué es, Valenzuela? –decía– ¿Qué pasa?

Mi papá estaba agachado gritándole a Valenzuela, quien ya se había metido al pozo.

–¿Qué encontraste, Valenzuela?

Metimos apresuradamente al ciempiés a la caja y corrimos a ver qué pasaba. También se acercaron los otros exploradores y mi mamá preguntó qué sucedía, pero nadie le contestó.

Todos veíamos el pequeño agujero que habían excavado, esperando oír la voz de Valenzuela, pero no se oía nada.

–Valenzuela, ¿está s bien? –gritó nuevamente mi papá, metiendo la cabeza en el pequeño hoyo negro.

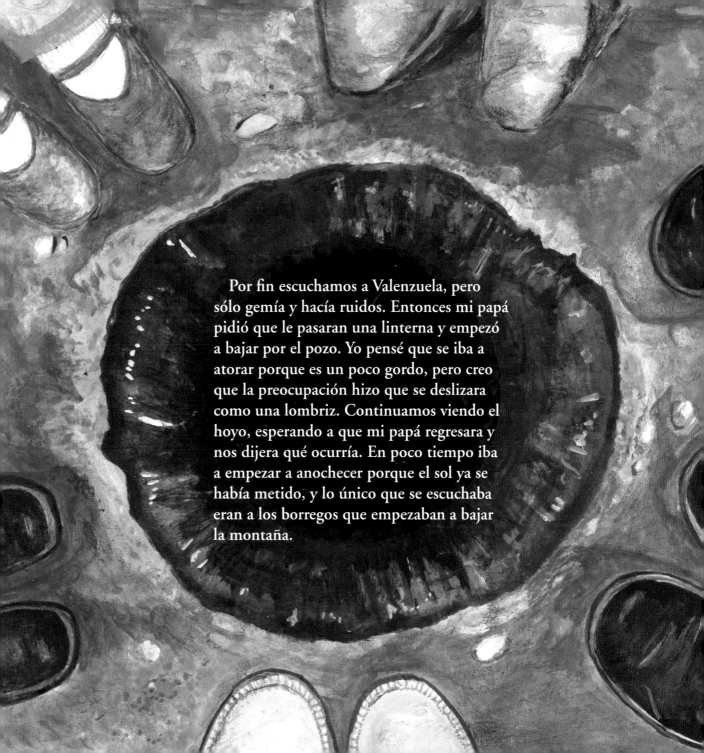

Por fin escuchamos a Valenzuela, pero sólo gemía y hacía ruidos. Entonces mi papá pidió que le pasaran una linterna y empezó a bajar por el pozo. Yo pensé que se iba a atorar porque es un poco gordo, pero creo que la preocupación hizo que se deslizara como una lombriz. Continuamos viendo el hoyo, esperando a que mi papá regresara y nos dijera qué ocurría. En poco tiempo iba a empezar a anochecer porque el sol ya se había metido, y lo único que se escuchaba eran a los borregos que empezaban a bajar la montaña.

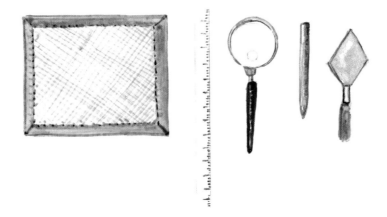

Esperamos un rato largo, pero parecía como si el hoyo se los hubiera tragado. Mi mamá entonces me tomó de la mano y le dijo a mis hermanos que se alejaran de ahí, que dejáramos trabajar a los exploradores. Pero ellos no hacían nada, sólo miraban el hoyo en completo silencio. Por fin uno de ellos habló. Dijo que se iba a meter a buscar a mi papá y a Valenzuela. Estaba a punto de entrar cuando escuchamos un grito:

—Ma..., Ma... —era la voz de mi papá, pero casi no podía hablar. Yo me asusté porque lo oí jadear como si le faltara el aire.

—Ma... María —logró decir, y entonces mi mamá corrió a asomarse al pozo.

—¿Qué pasa, Alfonso, qué pasa?

—Voy a subir.

Cuando por fin apareció, se le quedó mirando misteriosamente a mi mamá, tomó un trago de agua de su cantimplora y, con voz muy baja, le dijo que nos llevara a la casa, que él y Valenzuela se iban a quedar más tiempo. No dijo nada más y nadie le preguntó nada. Tenía una cara que jamás le había visto; nos miraba pero parecía que veía a través de nosotros.

Esa noche cenamos tarde porque estuvimos esperando a mi papá, pero él no llegó. Mi mamá dijo que seguramente seguía en Monte Albán y que mejor nos fuéramos a dormir. Estaba muy seria y casi no quería platicar: así se pone cuando está preocupada y lo mejor es no molestarla. Por eso nos fuimos a nuestros cuartos sin protestar mucho, aunque nosotros también estábamos un poco asustados. La verdad es que yo estaba muy nervioso y no quería estar solo. Le dije a mi hermano que jugáramos a algo, pero no quiso, y como no me podía dormir, me salí al balcón de mi cuarto a ver pasar gente.

Ahí estaba cuando un taxi se estacionó frente a nuestra casa. Se abrió la puerta de atrás y mi papá bajó cargando una caja.

Me metí rápido al cuarto para que no me viera y cerré la puerta del balcón. Escuché que subía corriendo las escaleras y que llamaba a mi mamá.

Platicaron mucho rato y aunque mi papá hablaba bastante fuerte, yo no podía entender bien lo que decía porque tenían cerrada la puerta de su cuarto. Ya me había acostado, pero como tenía calor, no me había tapado todavía. De pronto, oí que salían de su cuarto y que se acercaban al mío. No me dio tiempo de taparme, pero sí de hacerme el dormido, justo cuando abrieron la puerta.

–Sí Alfonso, bájalo –murmuró entonces mi mamá–. Será un recuerdo que lo acompañará toda la vida.

–Pero ¿no crees que es todavía muy chico? ¿No crees que se asuste? –y cerró la puerta.

"¡¿Al pozo?! ¿Me quieren bajar al pozo?", pensé alarmado. "No, no puede ser. Nunca nos dejan meter en donde están trabajando. ¿Por qué querrían bajarme al pozo?"

A la mañana siguiente nos despertaron más temprano que de costumbre, y el camión de las exploraciones ya nos estaba esperando. Cuando bajé a desayunar había muchos exploradores en mi casa. Le pregunté a uno de ellos qué había en el pozo y sólo me contestó que una tumba. Mi papá estaba muy contento, platicaba y se reía con todos, y creo que no se dio cuenta de que yo estaba muy asustado.

Ya en el camión, oí que Valenzuela le contaba a otro explorador que se trataba de una tumba con un gran tesoro y que nunca había visto algo así. Le dijo que él y mi papá se habían tardado en salir porque se pusieron a buscar la puerta de la tumba, que está al otro extremo de donde entraron, pero que no se puede salir por ahí porque está tapada con unas piedras muy grandes y totalmente cubierta de tierra. Por eso tuvieron que salir por el mismo lugar por el que habían entrado, por el techo, que es a donde lleva el pozo. Valenzuela le contó que se habían quedado hasta muy noche midiendo la tumba y clasificando las piezas. Dijo que había mascarillas de oro y jade, vasijas de plata y miles de perlas, una de ellas tan grande como un huevo de paloma.

—¡Es un descubrimiento muy importante! —oí que mi papá le decía muy emocionado a otro explorador.

¿En verdad me iban a bajar al pozo? Estaba asustado, porque le tengo un poco de miedo a la oscuridad, pero también sentía curiosidad de saber si era cierto que había un tesoro debajo de la tierra. ¿Sería como los tesoros de los piratas? ¿Era una tumba de oro?

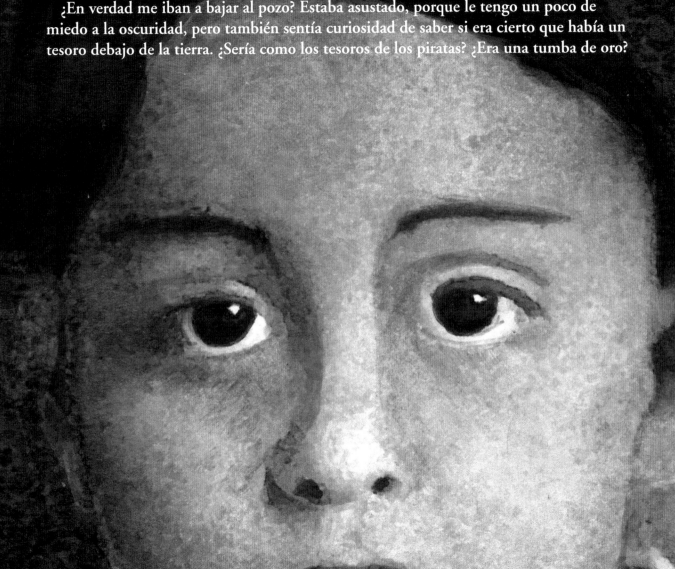

Jamás voy a olvidar cuando mi papá se me quedó viendo y me preguntó:

–¿Quieres bajar a la tumba, Alejandro?

En ese momento miré mis calcetines llenos de cardos del monte, respiré hondo y pensé que si mis hermanos mayores ya habían bajado, yo no me podía quedar atrás.

–Sí, sí quiero.

Mi papá me tomó por las muñecas y sosteniéndome con los brazos extendidos me fue introduciendo por el negro agujero de cincuenta centímetros de diámetro. Suspendido en el aire, fui bajando dentro de un espacio vacío y oscuro hasta que mis pies tocaron el fondo.

Quedé paralizado.

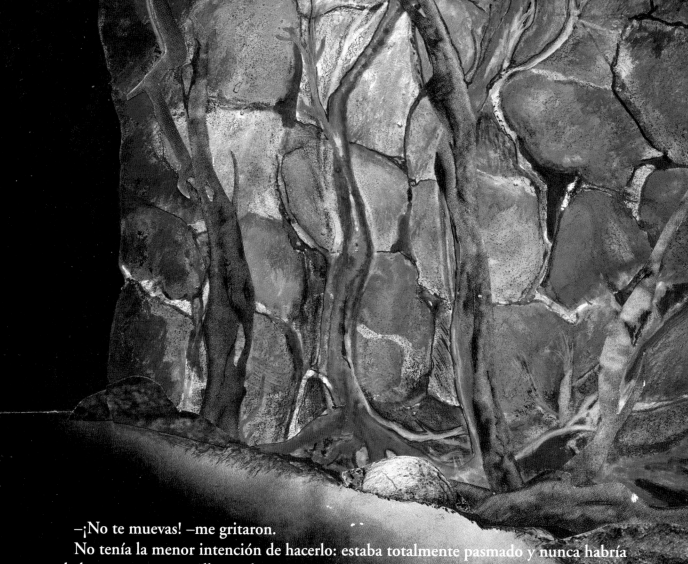

—¡No te muevas! —me gritaron.

No tenía la menor intención de hacerlo: estaba totalmente pasmado y nunca habría dado un paso en aquella tenebrosa oscuridad. Mi corazón latía como loco y me retumbaba el pecho.

Por fin me bajaron una lámpara de mano atada a una cuerda y, cuando la encendí, la rueda de luz iluminó unos viejos muros de piedra aprisionados por raíces.

—¡No vayas a tocar nada! —alcancé a oír que me advertían desde la boca del agujero.

¿Habría muertos...? Me pegué lo más que pude a la pared e iluminé a mi alrededor.

Así era: a pocos centímetros de mis pies estaba un cráneo humano semicubierto de turquesas, con una afilada nariz de obsidiana, que me miraba con dos conchas redondas incrustadas en los huecos de los ojos.

Alumbré el fondo de la tumba.
Entre el fino polvo que cubría
el suelo se veían, en confusión,
huesos, perlas, turquesas y
el reflejo amarillento de los
objetos de oro. Moví la linterna
y cerca de una esquina yacía un
esqueleto con pulseras de oro y
plata metidas en los brazos. En
medio de la tumba vi una gran
urna blanca y me sorprendió que
se volviera traslúcida cuando la
iluminé.

El aire olía a siglos de encierro, y los sonidos del exterior llegaban apagados y distantes, como un lejano eco. Tenía la sensación de encontrarme en el centro de la Tierra, de estar en un lugar increíblemente antiguo, muy distinto y apartado de lo que había arriba, en la superficie. Ahí estaba yo, solo y asustado, pero asombrado frente a los objetos de la tumba, que no habían sido vistos ni tocados desde que los dejaron ahí, hace cientos de años. Me fui acostumbrando a la oscuridad y pude ver la tumba en su conjunto: huesos humanos amontonados en distintos lados y, alrededor de ellos, sobresaliendo de la tierra, vasos, orejeras, vasijas, adornos y otras cosas de un mundo que antes no existía para mí.

Lo último que vi antes de que me sacaran fue una pequeña araña completamente blanca, que corrió a ocultarse del sol.

Esta vez mi papá no se ha desesperado de que el tren vaya tan lento. Parece que está dormido, pero no lo creo porque está sonriendo. Está feliz porque le encanta descubrir cosas. Quiere empezar cuanto antes a descifrar los símbolos que están labrados en los huesos de jaguar y águila que estaban esparcidos en la tumba, para poder saber quiénes eran los que yacían ahí y descubrir por qué habían sido enterrados en una tumba que no era suya.

Eso lo tiene muy contento: haber encontrado una tumba hecha por los zapotecos pero con un entierro que no es de ellos, sino de otra cultura, la mixteca. Dice que son las piezas que le faltaban para resolver el misterio por el que vinimos a Monte Albán. Es un misterio que lo inquietó hace mucho tiempo, desde el día en que se dio cuenta de que las figuras de los códices no coincidían con las que habían labrado los zapotecos en las piedras: ¿Por qué no se parecían? ¿Los habían hecho personas de otra cultura?

¿Quiénes?

A lo mejor las personas que estaban en la tumba y que yo vi con mis propios ojos.

Por fin estamos entrando a la ciudad y ya pronto llegaremos a la estación. Regresamos a México para dar a conocer la noticia del descubrimiento de la tumba 7 de Monte Albán. Mi papá dice que todos los niños del mundo soñamos con descubrir un tesoro, pero que él lo descubrió realmente. Piensa que es un tesoro que va a deslumbrar al mundo: que se van a sorprender cuando vean el trabajo de los artistas y orfebres, creadores de las piezas y joyas que revelan la grandeza de su civilización.

Instantáneas de la historia
UN CASO EJEMPLAR

Alejandro (a la derecha) a la edad en que entró a la tumba, con sus hermanos Beatriz y Andrés y su mamá.

Alfonso Caso y Martín Bazán explorando el lado poniente de la Tumba 7.

María Lombardo de Caso y Juan Valenzuela explorando el lado oriente de la Tumba 7.

Templo de la Tumba 7, antes de la reconstrucción. Aquí se encontraron la ofrenda del caracol y el collar y orejeras de jade.

Se encontraron los restos de 9 personas, la mayoría sacerdotes; el más viejo tenía aproximadamente 60 años.

A las 4 de la tarde del sábado 9 de enero de 1932, Caso y Valenzuela retiraron la lápida que conducía a la Tumba 7. La tumba está formada por dos cámaras, unidas por un umbral.

El 16 de enero los periódicos nacionales dan a conocer el descubrimiento de la Tumba 7 de Monte Albán.

Entre otras joyas, había un collar de oro en forma de conchas de tortuga.

Es muy difícil labrar el jade en forma de anillo. Había tres en la Tumba 7, uno de ellos todavía insertado en una falange.

El Cráneo Azul, cubierto con plaquitas de turquesa, es una representación de Tezcatlipoca: dios del cielo diurno, el verano, el día.

Todavía puestos en los brazos de un esqueleto había cinco pulseras de oro, cuatro de plata y un brazalete de oro.

El Tecalli es una especie de alabastro. A pesar de ser un material muy duro, el pulido fino lo hace traslúcido.

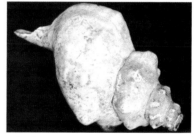

Sobre la Tumba 7 encontraron un caracol que había sido usado por los mixtecos como trompeta.

Gran Peto con turquesas, concha roja, perlas, cuentas de oro y cascabeles.

La perla del tamaño de un huevo de paloma tiene un diámetro de 22 mm. Se encontraron cerca de tres mil perlas.

Se encontraron 10 pectorales (adornos para el pecho). El de la foto es conocido como el Pectoral con Flechas.

39

Alfonso Caso
Cronología

• 1896 Nace en la ciudad de México el 1 de febrero. Sus padres: el ingeniero Antonio Caso y María Andrade, quienes tuvieron siete hijos, cuatro mujeres y tres hombres.

• 1919 A los 23 años se gradúa como abogado. Un año después obtiene el grado de maestro en Filosofía por la UNAM. Comienza a dar cursos de Teoría del Conocimiento en la Facultad de Filosofía y Letras y en la Escuela de Derecho. Se casa con María Lombardo Toledano, con quien tuvo 4 hijos: Beatriz, Andrés, Alejandro y Eugenia.

Padres y hermanos de Alfonso Caso.

Día de la boda de María Lombardo y Alfonso Caso.

Alfonso Caso con el general Lázaro Cárdenas en Monte Albán.

◄ Alfonso Caso y familia, un poco antes de mudarse a Oaxaca.

41

• 1923 Una visita a las ruinas de Xochicalco cambia su vida. Enfrentado a los signos labrados y desconocidos de los relieves, se toma como un reto poder descifrarlos. Aunque había estudios sobre las civilizaciones maya y azteca, había una gran parte de la historia de México que permanecía muda. Decide tomar cursos de arqueología, que se daban aisladamente en la Escuela de Altos Estudios. El maestro que más influyó en Caso fue Hermann Beyer, un reconocido arqueólogo e historiador alemán. En esa época, alemanes e ingleses dominaban el terreno de la arqueología. Pocos mexicanos eran arqueólogos.

• 1927 Visita por primera vez Monte Albán, atraído por los signos misteriosos de las estelas zapotecas. Junto con el arqueólogo italiano Callegari, sube a caballo la montaña, que está cubierta por una espesa niebla.

• 1928 Escribe *Las estelas zapotecas*, libro donde analiza 40 piezas esculpidas con signos distintos a los de un importante grupo de códices, a los cuales se adjudicaba procedencia zapoteca. Caso intenta descifrar un lenguaje desconocido y plantea el siguiente dilema: si el estilo de las piedras no guarda semejanza con el de los códices, a pesar de su pretendido origen zapoteco, debe tratarse de dos culturas diferentes, porque es inadmisible que un mismo grupo se valga de un estilo cuando toma el pincel y de otro cuando modela el barro o esculpe la piedra. La solución del dilema sólo podrá darla una minuciosa exploración de Monte Albán.

• 1931 En noviembre llega a Monte Albán dispuesto a explorar la montaña. Comienza la primera temporada de exploraciones, cuyo primer objetivo es limpiar la gran escalera (de 37.80 m de ancho y 12.10 m de alto) de la Plataforma Norte y explorar los montículos. Participan los arqueólogos Juan Valenzuela, Martín Bazán, Caso y María Lombardo, su esposa, así como un gran número de trabajadores y jornaleros indígenas que vivían alrededor de Monte Albán. El segundo objetivo es localizar y explorar tumbas para obtener datos sobre la religión, el vestido y el instrumental de los zapotecos. También para estudiar los métodos de enterramiento. Las tumbas 1 y 2 se encontraban muy lejos del Cementerio Norte. Caso traslada la exploración a la ladera del norte de Monte Albán, donde había mayor número de montículos de poca altura. A la orilla del camino que lleva a Oaxaca encontró el Cementerio Norte y exploró las tumbas 3, 4, 5 y 6.

• 1932 Frente de la tumba 3, Caso advierte un pequeño montículo y decide explorarlo. Descubren los muros de un antiguo templo y, entre los escombros formados por la caída del techo y las paredes, encuentran una ofrenda conformada por un collar de jade, unas orejeras del mismo material y un gran caracol que había sido usado como trompeta. Estos objetos le hicieron suponer que debajo del templo debía haber una tumba muy rica y comenzaron a excavar un pozo. Al ir profundizando, los picos les avisan, por el sonido que producen al chocar contra las piedras, que debajo hay un lugar hueco: estaban precisamente sobre el techo de la tumba. Sábado 9 de enero. A las 4 de la tarde Caso y Valenzuela retirarán la lápida que conduce a la Tumba 7, en ese momento la más rica del continente americano. Durante 6 días exploran la tumba completa, catalogando los objetos y determinando su ubicación para después dibujarlos en la posición en la que los encontraron.

El arqueólogo en la Tumba 7.

María Lombardo y Alfonso Caso.

Con niños indígenas en Chiapas.

Cuando estaban a punto de terminar la exploración de la tumba, ya cerca del piso de ella, encontraron unos cuantos objetos de barro y de piedra, toscos y mal hechos, que indudablemente no pertenecían al entierro superior. Antes, a la entrada de la tumba, habían encontrado tres grandes urnas de barro que tampoco correspondían con el estilo de los objetos del entierro. El estudio del estilo en ambos objetos reveló que la tumba 7 fue utilizada en dos ocasiones; primero por los zapotecos, que la construyeron, y después por los mixtecos, que sacaron los cuerpos y los objetos –aunque olvidaron algunos de éstos– para depositar los esqueletos y las joyas de sus príncipes.

• 1932 a 1943 Caso continúa explorando Monte Albán. Descubre un total de 180 tumbas. Encuentra y reconstruye más de 20 edificios del gran centro ceremonial, así como la Gran Plaza rodeada de pirámides, templos, palacios y un juego de pelota. Queda al descubierto gran parte de la enorme ciudad de Monte Albán, que los zapotecos erigieron sobre un conjunto de cerros en el centro del valle y que llegó a tener hasta 35 mil habitantes. Al terminar la exploración, se ha logrado trazar el esbozo de una historia que va del siglo VI a.C. al siglo XV de nuestra era. Su trabajo se publica en el libro *Las exploraciones de Monte Albán.*

• 1939 Funda el Instituto Nacional de Antropología e Historia (INAH) y la Escuela Nacional de Antropología.

• 1944 a 1945 Rector de la Universidad Nacional Autónoma de México.

• 1947 Aparece su libro *Calendario y escritura de las antiguas culturas de Monte Albán.* Logra descifrar el sistema de escritura de las culturas prehispánicas de Oaxaca, llegando a comprender los jeroglíficos que usaron los zapotecos desde el año 500 antes de nuestra era, para nombrar a las personas, para contar el tiempo y para narrar sus conquistas, en complicados textos tallados en grandes piedras.

• 1949 Jefe de exploración de Atzompa Yucuñudahui, hasta 1970. Descifra el sistema jeroglífico de los códices mixtecos, establece correlaciones entre el calendario antiguo y el de uso cotidiano de nuestra cultura y logra ubicar geográficamente la región que habitaron los mixtecos o "los hombres de las nubes". Sus estudios de las antiguas culturas le hacen valorar a los indígenas actuales que luchan por su reconocimiento en el México de hoy. Funda el Instituto Nacional Indigenista, organismo que dirige hasta poco antes de morir.

• 1953 Aparece *El pueblo del Sol,* libro donde estudia la cultura y la religión de los aztecas.

• 1960 Recibe el Premio Nacional de Ciencias.

• 1969 Publica el libro *El tesoro de Monte Albán.*

• 1970 Muere el 30 de noviembre en la ciudad de México. Sus restos descansan en la Rotonda de los Hombres Ilustres.

Premio Nacional de Ciencias y Artes.

Retrato de Alfonso Caso realizado por David Alfaro Siqueiros, en 1959.

Caricatura de Alfonso Caso realizada por Miguel Covarrubias.

Alfonso Caso con su esposa y algunos de los trabajadores que participaron en las excavaciones de Monte Albán.

Fuentes

Alfonso Caso. *El Tesoro de Monte Albán,* México: INAH, 1969.

Alfonso Caso. *Reyes y reinos de la Mixteca,* México: FCE, 1992.

A un joven arqueólogo mexicano, México: Empresas Editoriales, S.A., 1968.

Autores varios. *Homenaje a Alfonso Caso*, México, 1975.

Alfonso Caso, Voz viva de México, Cuaderno adjunto: presentación de Fernando Benítez, México: UNAM, 1994
Fernando Benítez. «La Tumba 7, Monte Albán», *Arqueología mexicana. Oaxaca*, agosto-septiembre, 1993

Actualidades arqueológicas, N. 4. http://morgan.iia.unam.mx/usr/Actualidades/04/texto04/biografiacaso.html

* Además de estas fuentes, la historia narrada en el cuento *Alfonso Caso: explorador de Monte Albán* está basada en el testimonio de Alejandro Caso Lombardo.

Contenido

Alfonso Caso: Explorador de Monte Albán
se terminó de imprimir en mayo de 2010
en en Editorial Impresora Apolo, S. A. de C. V., Centeno núm. 150, local 6,
col. Granjas Esmeralda, c. p. 09810, Iztapalapa, México, D. F.